Garfield

ALBUM GARFIELD

PRESSES AVENTURE

Presses Aventure inc.
55, rue Jean-Talon Ouest
Montréal (Québec) H2R 2W8
CANADA
groupemodus.com

Publié pour la première fois en 2017 sous le titre *Garfield Cooks up Trouble* par Ballantine Books, une division de Random House Publishing Group.

Président-directeur général : Marc G. Alain
Éditrice : Marie-Eve Labelle
Traducteur : Jean-Robert Saucyer

Dépôt légal – Bibliothèque et Archives nationales du Québec, 2017
Dépôt légal – Bibliothèque et Archives Canada, 2017

ISBN 978-2-89751-416-7

Gouvernement du Québec — Programme de crédit d'impôt pour l'édition de livres — Gestion SODEC

Financé par le gouvernement du Canada

Imprimé en Chine

garfield.com
GARFIELD

Loup-Garou
www.facebook.com/garfield

Garfield

Mistigri

Rataplan

AH, TON ALBUM-SOUVENIR DE L'ÉCOLE DE DRESSAGE
© 2014 PAWS, INC. All Rights Reserved.

JE ME SOUVIENS DE MISTIGRI
OUAIS... CHAQUE CLASSE A UN ÉLÈVE BIZARRE
JIM DAVIS 8-24
Distributed by Universal Uclick

PARFOIS, QUAND JE REGARDE LES NOUVELLES, JE ME DIS QUE L'HUMANITÉ EST PEUT-ÊTRE EN DANGER
JIM DAVIS 8-25
PUIS JE REGARDE DEHORS PAR UN BEAU JOUR ENSOLEILLÉ...
ET JE SAIS QU'ELLE EST EN DANGER

GARFIELD
JIM DAVIS 8-26

À MANGER
GARFIELD

MERCI DE L'AVOIR PRÉCISÉ
GARFIELD

IL ÉTAIT UNE FOIS UNE MAISON OÙ VIVAIENT UN HOMME, UN CHIEN ET UN CHAT
JIM DAVIS 8-27

L'HOMME ÉTAIT MINCE, LE CHIEN ÉTAIT HEUREUX ET LE CHAT ÉTAIT GROS

UN BON MATIN, LE CHAT BOUFFA MON DÉJEUNER ET LE CHIEN RONGEA MES PANTOUFLES
ÇA ME RAPPELLE QUELQUE CHOSE

NE SOIS PAS JALOUX DE MA GRANDEUR D'ÂME!

OH, D'ACCORD, TU PEUX L'ÊTRE, MAINTENANT!
JIM DAVIS 8-28

LIZ VEUT MON BIEN

ELLE ME FAIT FAIRE UN RÉGIME SANTÉ

À PRÉSENT, C'EST MOI QUI VEUX TON BIEN
ÉVACUE TES FRUSTRATIONS AUTREMENT, L'ASPERGE
JIM DAVIS 8-29

JIM DAVIS 8-30
TU N'AS QU'À LE DIRE SI TU VEUX QUE JE BOUGE DE LÀ

garfield.com
GARFIELD®

MMMM... UNE SIESTE AU GRAND AIR. POURQUOI JE N'EN FAIS PAS PLUS SOUVENT?
www.facebook.com/garfield

FOU!

PLIP
Distributed by Universal Uclick

BAM!
DÉGAGE!

JIM DAVIS 8·31
© 2014 PAWS, INC. All Rights Reserved.

C'EST LUI, PAPA!
AH, OUI. VOILÀ POURQUOI

Distributed by Universal Uclick www.facebook.com/garfield

© 2014 PAWS, INC. All Rights Reserved.

Distributed by Universal Uclick www.facebook.com/garfield

© 2014 PAWS, INC. All Rights Reserved.

BONJOUR, LA PIZZA LA PLUS RAPIDE DU MONDE? J'EN VEUX UNE DE GRAND FORMAT AU PEPPERONI...

EUH...
ZOUM

AVEC UN SUPPLÉMENT DE FROMAGE
TROP FORT!
JIM DAVIS 9-4

JE NE SUIS PAS SÛR QUE LIZ ME TROUVE RAFFINÉ
C'EST ABSURDE!

BURP!
GRATTE GRATTE GRATTE
SNIF SNIF SNIF

JIM DAVIS 9-5
MOI, JE TE TROUVE RAFFINÉ

JE N'AI RIEN À FAIRE

NAN... RIEN... RIEN DU TOUT...

T'AI-JE DIT QUE JE N'AI RIEN À FAIRE?
TU POURRAIS TE TAIRE!
JIM DAVIS 9-6

garfield.com

GARFIELD®

SNIFF SNIFF SNIFF
SNIFF SNIFF SNIFF

SNIFF SNIFF SNIFF SNIFF
SNIFF SNIFF SNIFF SNIFF

Distributed by Universal Uclick www.facebook.com/garfield

AINSI PREND FIN
«L'HEURE DES CHIENS»

JIM DAVIS 9-7
CLIC

BIENVENUE À
« L'HEURE DES CHATS »

Z
Z

AS-TU L'INTENTION DE RESTER ALLONGÉ LÀ TOUTE LA JOURNÉE?
C'EST LE PLAN

TU NE FERAS RIEN DE CONSTRUCTIF DE CETTE FAÇON
ÇA FAIT ÉGALEMENT PARTIE DU PLAN

TU VAS TE DÉSINTÉGRER EN UN GROS TAS DE POUSSIÈRE ET LE VENT T'EMPORTERA!
QUELQU'UN A DIVULGUÉ LE PLAN!
JIM DAVIS 9-8

À PRÉSENT, POUR EXPLIQUER LE SENS DE LA VIE, VOICI ODIE

Z

JE NE ME SUIS JAMAIS SENTI AUSSI PROCHE DE TOI
JIM DAVIS 9-9

QUELLE NUIT MAGNIFIQUE, N'EST-CE PAS, GARFIELD?

TANTE WINNIFRED DISAIT QUE LES ÉTOILES SONT DE PETITES FÉES QUI VEILLENT SUR NOUS ET NOUS APPORTENT LA CHANCE

C'EST ALORS QU'ELLE A MARCHÉ DROIT VERS LE PRÉCIPICE
JE RENTRE À LA MAISON
JIM DAVIS 9-10

PÂTÉ DE FOIE... RAIFORT... ET PÂTE D'ANCHOIS! VOILÀ LE SANDWICH IDÉAL!

COMMENT SE FAIT-IL QUE TU NE RÉPONDES PAS AU TÉLÉPHONE?
JIM DAVIS 9-11

OÙ POURRIONS-NOUS ALLER EN VACANCES CETTE ANNÉE, GARFIELD?

Distributed by Universal Uclick www.facebook.com/garfield

À PART DANS UNE FABRIQUE DE LASAGNES

© 2014 PAWS, INC. All Rights Reserved.

VOILÀ UNE QUESTION PIÈGE

Distributed by Universal Uclick www.facebook.com/garfield

CETTE FLAQUE EST PLUS PROFONDE QU'ELLE NE LE SEMBLE!

© 2014 PAWS, INC. All Rights Reserved.

COMME SI C'ÉTAIT NÉCESSAIRE DE LE PRÉCISER

garfield.com
Garfield®

1989

1995

2004
JIM DAVIS 9-14

2011

ALBUM

ALBUM
COMME NOUS AVONS EU DES VIES ENNUYEUSES!
OH, JE NE SAIS PAS... TE SOUVIENS-TU DE LA MOUSTACHE?

JE VAIS LIRE DANS
LES PENSÉES DE JON

JIM DAVIS 9-15

IL SOUHAITE QUE JE MANGE
LE DERNIER BISCUIT

GARE
AU
CHIEN
TIMIDE
JIM DAVIS 9-16

TU PEUX SORTIR,
MAINTENANT
JE
T'EN-
TENDS
ENCORE

À PRÉSENT, ON
COMMANDE UNE PIZZA
JIM DAVIS 9-17

J'EN VEUX UNE GRANDE
AU PEPPERONI AVEC UN
SUPPLÉMENT DE FROMAGE

PUIS, ON S'ASSOIT
SUR LE CANAPÉ, ON
MANGE DES JUJUBES
ET ON ATTEND
MON
ÉMISSION
DE CUISINE
PRÉFÉRÉE

JIM DAVIS 9-18

SAPRISTI, IL FAIT SOMBRE À L'EXTÉRIEUR!
C'EST LA PENDERIE

JE M'ENNUIE

ALLONS RENCONTRER DES MARIONNETTES EN CHAUSSETTES FILLES!

C'EST MOI QUI FERAI LA CONVERSA-TION
JE VAIS M'EFFORCER DE NE PAS TROP PLISSER TON VISAGE
JIM DAVIS 9-19

HUMM

CE DOIT ÊTRE L'HEURE DU REPAS
JIM DAVIS 9-20

garfield.com
Garfield

BAM!
GAH!

YAAAHHH!

OW! OW!
OW! OW!
OW! OW!

JIM DAVIS 9-21

BAM!
ÇA LUI APPRENDRA, À CE CLOU!
GAAHH HHHH

BIENVENUE À « PERDU DANS SES PENSÉES »

LES EXTRATERRESTRES FONT-ILS DE L'ACNÉ?
VOILÀ QUI CONCLUT « PERDU DANS SES PENSÉES »
JIM DAVIS 9-22

PEUT-ÊTRE DEVRIONS-NOUS ALLER EN VACANCES CHACUN DE NOTRE CÔTÉ CETTE ANNÉE?

J'IRAI DANS UN ENDROIT AMUSANT

PARCE QUE TU N'Y SERAS PAS
JIM DAVIS 9-23

GARE AU CHIEN
JIM DAVIS 9-24

ET JE DOIS TE CRAINDRE PARCE QUE...?
PARCE QUE J'AI UN PETIT RHUME!

AT-CHOU!
CHACUN GAGNE SA VIE COMME IL PEUT

UNE VIOLENTE
TEMPÊTE EST À
NOS PORTES

DING-
DONG!

JIM DAVIS 9-25
NE
RÉPONDS
PAS!

LES BEIGNETS SONT
NOCIFS POUR TOI, TU SAIS

JIM DAVIS 9-26
JE SUIS PLUS NOCIF POUR
EUX QU'ILS NE LE SONT
POUR MOI

JIM DAVIS 9-27
J'AI CONNU
PIRE

garfield.com
garfield®

BONJOUR! JE M'APPELLE FINN. ET TOI?

J'AI EMMÉNAGÉ CE MATIN. C'EST JOLI. TU AIMES ÇA, ICI?

IL SEMBLE QUE NOUS SERONS COLOCATAIRES. J'ESPÈRE QUE TU NE RONFLES PAS ET QUE TU N'AIMES PAS LA MUSIQUE TROP FORTE

IL EST PEUT-ÊTRE TROP STUPIDE POUR QUE JE LE MANGE
TU N'ES PAS BAVARD, N'EST-CE PAS?
JIM DAVIS 9-28

C'EST ÉTRANGE, GARFIELD...

CHAQUE FOIS QUE J'ENTRE DANS L'ANIMALERIE...

LES POISSONS ROUGES HURLENT
EN AS-TU CHOISI UN BIEN DODU?
JIM DAVIS 9-29

TU VOIS CE POISSON, GARFIELD?
JIM DAVIS 9-30

C'EST LE DERNIER POISSON QUE J'ACHÈTE

TU COMPRENDS CE QUE JE DIS?
QUE JE DOIS LE DÉGUSTER LENTEMENT?

HO HO! JE VAIS PRENDRE MES NAGEOIRES À MON COU!

MON PLAN SEMBLE COMPORTER UNE PETITE FAILLE
JIM DAVIS 10-1

C'EST BIEN CE QUE JE CROYAIS!
JIM DAVIS 10-2

L'ESPÉRANCE DE VIE D'UN POISSON ROUGE EST DE SEPT ANS
Distributed by Universal Uclick
www.facebook.com/garfield

PAS DE DEUX MINUTES!
IL A EU UNE VIE HEUREUSE ET BIEN REMPLIE
© 2014 PAWS, INC. All Rights Reserved.

JE ME SOUVIENS D'UN BOCAL À POISSON HEUREUX

JE ME SOUVIENS D'UN PETIT POISSON FRÉTILLANT
Distributed by Universal Uclick
www.facebook.com/garfield

QUE SONT DEVENUS CES SOUVENIRS?
EST-CE UNE CHANSON COUNTRY?
JIM DAVIS 10-3
© 2014 PAWS, INC. All Rights Reserved.

HÉ, GARFIELD, TE SOUVIENS-TU DES SANDWICHS AUX ŒUFS QUE TANTE FRIEDA A SERVIS À NOËL?
JIM DAVIS 10-4

ET DE LA CROUSTADE AUX POMMES DE TON ANNIVERSAIRE? ET DE LA SALADE DE L'ÉTÉ DERNIER?
Distributed by Universal Uclick
www.facebook.com/garfield

OH, ET IL Y A UNE PART DU GÂTEAU DE NOCES DE MAMAN ET PAPA!
C'EST LE TEMPS DE NETTOYER LE FRIGO
© 2014 PAWS, INC. All Rights Reserved.

garfield.com

Garfield®

GARFIELD

TROP MIGNON... GARFIELD PUBLIE DES PHOTOS DE SES REPAS
JIM DAVIS 10-5

GARFIELD

GARF

HÉÉÉ... ON DIRAIT MON DÎNER
BURP

EUF!
Distributed by Universal Uclick
www.facebook.com/garfield

PEUX-TU FAIRE UN EFFORT POUR ÊTRE UN PEU PLUS AGRÉABLE?
OUI, JE PEUX

SI TU FAIS UN EFFORT POUR ÊTRE MOINS ENNUYEUX
© 2014 PAWS, INC. All Rights Reserved.
JIM DAVIS 10-6

COMMENT ÉTAIT TA PÂTÉE?
PEU MÉMORABLE
GARFIELD
Distributed by Universal Uclick
www.facebook.com/garfield

GARFIELD

TU VEUX RAFRAÎCHIR MA MÉMOIRE?
GARFIELD
© 2014 PAWS, INC. All Rights Reserved.
JIM DAVIS 10-7

GARE AU CHIEN CACHÉ
Distributed by Universal Uclick
www.facebook.com/garfield

TU N'ES PAS TRÈS BIEN CACHÉ
EN EFFET

MAIS JE NE SUIS PAS LE CHIEN DONT TU DOIS TE MÉFIER
© 2014 PAWS, INC. All Rights Reserved.
JIM DAVIS 10-8

GARFIELD, JE VEUX REGARDER LA TÉLÉ
JIM DAVIS 10-9

LÂCHE LA TÉLÉCOMMANDE!

ALLEZ, TU EN ES CAPABLE
POURRIONS-NOUS AVOIR UN MOMENT SEULS AVANT?

UN JOUR, J'AIMERAIS ME RENDRE SUR LA LUNE

TU N'ES PAS OBLIGÉ DE PRÉPARER MES BAGAGES TOUT DE SUITE!
JIM DAVIS 10-10

GARFIELD EST BEAUCOUP PLUS GENTIL LORSQUE TU ES LÀ, LIZ

VRAIMENT?
T'EN IRAS-TU BIENTÔT?
JIM DAVIS 10-11

garfield.com
Garfield®

www.facebook.com/garfield

Distributed by Universal Uclick

QUEL BOULOT, TU FAIS!
JIM DAVIS 10-12

NOUS VIVONS LES PLUS BEAUX JOURS DE NOS VIES

JE RETOURNE ME COUCHER
J'AI DE L'AVANCE SUR TOI
JIM DAVIS 10-13

SAUVE QUI PEUT!

ET RAPPORTEZ-MOI UN SANDWICH AU SALAMI!
JIM DAVIS 10-14

CHIOTS GRATUITS
JIM DAVIS 10-15

CHIOTS GRATUITS

C'EST ENCORE TROP CHER

JON EST ALLÉ CHEZ LE DENTISTE
JIM DAVIS 10-16

C'EST FACILE À DEVINER

IL MODIFIE DE FAÇON SUBTILE SES HABITUDES ALIMENTAIRES

SI TU POUVAIS VIVRE À UNE AUTRE ÉPOQUE, LAQUELLE CHOISIRAIS-TU?

HUM...

JE CHOISIRAIS CE MATIN, QUAND NOUS AVONS MANGÉ DES BEIGNETS
JIM DAVIS 10-17

Z

JIM DAVIS 10-18
MMPFF!
FAIS DE BEAUX RÊVES, TOI AUSSI, JON

garfield.com
Garfield®

NOUS INTERROMPONS CETTE ÉMISSION POUR DIFFUSER UN BULLETIN SPÉCIAL
JIM DAVIS 10-19
www.facebook.com/garfield

LES AUTORITÉS SIGNALENT CE QUI SEMBLE ÊTRE UN HORRIBLE ACCIDENT DE JARDINAGE
Distributed by Universal Uclick

NOTRE REPORTER EST SUR LES LIEUX. STEVE, QU'AVEZ-VOUS APPRIS?

IL SEMBLE QU'UN HOMME AIT LA TÊTE COINCÉE À L'INTÉRIEUR D'UN ARROSOIR ET QU'IL DÉAMBULE MALGRÉ CELA AU MILIEU DE LA CHAUSSÉE

JE VAIS TENTER DE L'INTERROGER... MONSIEUR? ICI LA CHAÎNE DE NOUVELLES
QUOI? JE SUIS À LA TÉLÉ!?
© 2014 PAWS, INC. All Rights Reserved.

SALUT, LIZ!
NOUS DEVRIONS FAIRE QUELQUE CHOSE
J'AI DÉJÀ VERROUILLÉ LA PORTE

JE SUIS TRÈS SÛR DE MOI

ENFIN, PRESQUE

PAS MAL... PEUT-ÊTRE... À MOINS QUE QUELQU'UN DISE LE CONTRAIRE
TU DEVRAIS ARRÊTER
JIM DAVIS 10-20

TU NE DOIS PAS ME FRAPPER, ME DONNER UN COUP DE PATTE OU ME GRIFFER

PAS DE PROBLÈME

OU ME MORDRE
OH, C'EST INJUSTE!
JIM DAVIS 10-21

WOUF! WOUF! WOUF! WOUF! WOUF! WOUF!

MENSONGES! UN TAS DE MENSONGES!

SAUF POUR LE CINQUIÈME « WOUF »
JIM DAVIS 10-22

GARFIELD, CESSE DE GRIFFER LE CANAPÉ!
CRICH CRICH CRICH
JIM DAVIS 10-23

GARFIELD, CESSE DE GRIFFER LES RIDEAUX!
CRICH CRICH CRICH

ÇA NE VEUT PAS DIRE DE RETOURNER AU CANAPÉ!
CRICH CRICH CRICH

MES LÈVRES SONT GERCÉES!
JIM DAVIS 10-24

JE NE PEUX PAS EMBRASSER LIZ!

BONNE NOUVELLE!

GARFIELD, SELON UN VIEIL ADAGE...

« CHAT PARESSEUX N'AMASSE PAS DE BEIGNETS »
VOILÀ POURQUOI TU ES LÀ POUR ME SERVIR
JIM DAVIS 10-25

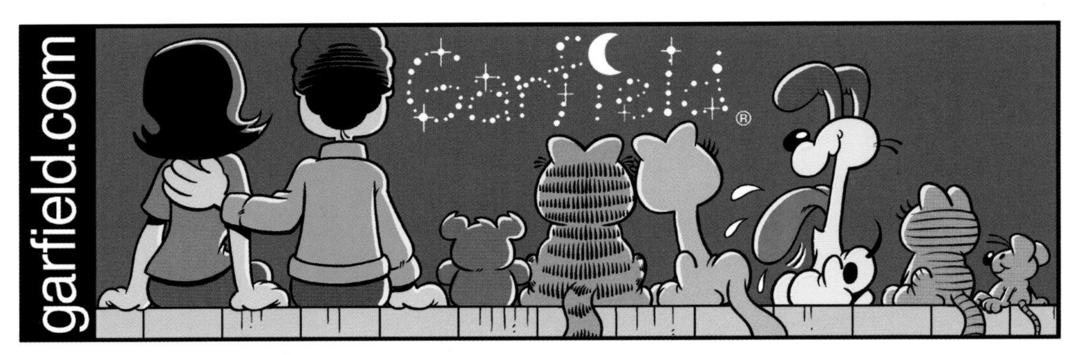

GARFIELD, J'AIMERAIS POUVOIR M'ALLONGER ET NE RIEN FAIRE COMME TOI

www.facebook.com/garfield

VOYEZ... JE SUIS UN CHAT PARESSEUX!

JE RESTE SANS BOUGER DES HEURES DURANT...

À REGARDER FIXEMENT LE PLAFOND...

SANS ÊTRE UTILE

BON. JE VAIS ALLER DÎNER
C'EST CE QUE TU PENSES... BURP!

UN FANTÔME!
www.facebook.com/garfield
Distributed by Universal Uclick
JE NE SUIS PAS UN FANTÔME, JE SUIS UN DRAP QUI PARLE
JIM DAVIS 10-27
© 2014 PAWS, INC. All Rights Reserved.
ET TON PETIT AMI?
C'EST UNE TAIE D'OREILLER QUI PARLE
SA-LUT!
TÉLÉCOM-MANDE, FAIS TON TRAVAIL

LE MONSTRE EST EN VIE!
www.facebook.com/garfield
Distributed by Universal Uclick
EUF!
JIM DAVIS 10-28
© 2014 PAWS, INC. All Rights Reserved.
VOUS AVEZ DES CRAQUELINS AU CHEDDAR?
ÇA RESSEMBLE À QUELQUE CHOSE QUE J'AI DÉJÀ ÉCRIT

LES NUITS DE PLEINE LUNE, JE ME TRANSFORME EN LOUP!
www.facebook.com/garfield
Distributed by Universal Uclick
JE PEUX ALORS ME GRATTER LA TÊTE AVEC MON PIED
JIM DAVIS 10-29
© 2014 PAWS, INC. All Rights Reserved.
OOOOH! ÇA FAIT DU BIEN!
GRATTE
GRATTE
GRATTE
VOUS SAVEZ QUE C'EST CENSÉ ÊTRE UN FILM D'HORREUR?!

BIENVENUE AU CINÉMA DES CHATS

À L'AFFICHE CE SOIR : « LE JOUR OÙ L'OUVRE-BOÎTE EST MORT »

COMMENT ÉTAIT LE FILM D'HIER SOIR?
UN VRAI TIRE-LARMES
JIM DAVIS 10-30

GARFIELD, J'ENTENDS DES BRUITS EFFRAYANTS DANS MON PLACARD!

C'EST PEUT-ÊTRE UN MONSTRE!
NE T'INQUIÈTE PAS

QUE DOIT-ON FAIRE?
TA GARDE-ROBE VA LE TUER
JIM DAVIS 10-31

QUAND AVONS-NOUS CHANGÉ LES RIDEAUX?
JIM DAVIS 11-1

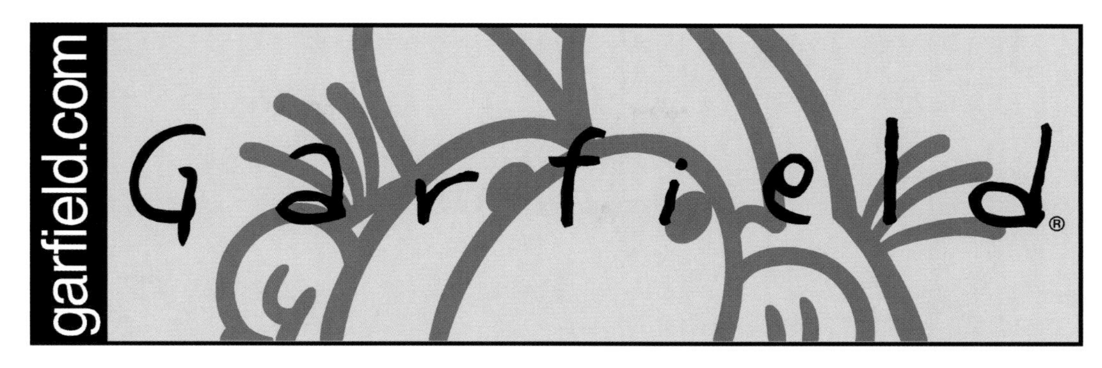
garfield.com
Garfield®

www.facebook.com/garfield

JIM DAVIS 11-2

Distributed by Universal Uclick

© 2014 PAWS, INC. All Rights Reserved.

À QUOI RIMAIT TOUT CECI?
UN CANICHE FEMELLE EST PASSÉ

C'EST L'HEURE DE SE LEVER!
ALORS?
JIM DAVIS 11-3

« L'HEURE DE SE LEVER! » ET APRÈS? JE NE VAIS PAS TRAVAILLER. JE SUIS UN CHAT! POURQUOI DEVRAIS-JE ME...

CRÊPES!
ZIP

BONSOIR ET BIENVENUE AU...

JIM DAVIS 11-4

CINÉMA POUR CONGÉ DE MATERNITÉ
PRÊT... VISEZ...

ODIL
JIM DAVIS 11-5

OUI. LA PÂTÉE POUR CHIEN EST FAITE POUR AVOIR L'AIR DÉGOÛTANTE

SLURP
GLUP
CHOMP!
MIAM!
ODIL

J'AI RÉFLÉCHI...
WOW! ET ON DISAIT QUE C'ÉTAIT IMPOSSIBLE!

ET...
QUOI? IL Y A PLUS?!
JIM DAVIS 11-6

DIS, GARFIELD, AS-TU PERDU DU POIDS?

ON DIRAIT QUE TU AS PRIS QUELQUES KILOS

AH... DÉJÀ DE RETOUR?
J'ADORE LES MENTEUSES
JIM DAVIS 11-7

QUE PENSES-TU DE MON COSTUME?

ALORS?
ATTENDS UN PEU. JE PRÉPARE UNE BOULE DE POILS
JIM DAVIS 11-8

garfield.com

Garfield®

www.facebook.com/garfield

Distributed by Universal Uclick

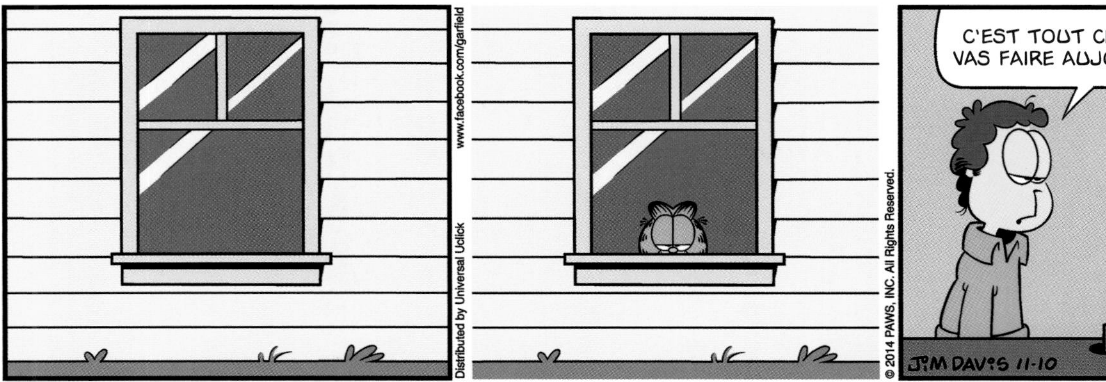
Distributed by Universal Uclick www.facebook.com/garfield

C'EST TOUT CE QUE TU VAS FAIRE AUJOURD'HUI?
J'AI FAIT UNE APPARITION
JIM DAVIS 11-10
© 2014 PAWS, INC. All Rights Reserved.

GARFIELD, TU AS UNE MAUVAISE HABITUDE
Distributed by Universal Uclick www.facebook.com/garfield

TU LAISSES LA PORTE DU FRIGO OUVERTE

J'ESSAIE D'ÉCONOMISER DE L'ÉNERGIE!
MOI AUSSI!
JIM DAVIS 11-11
© 2014 PAWS, INC. All Rights Reserved.

« CHER CHRONIQUEUR CANIN... »
JIM DAVIS 11-12
Distributed by Universal Uclick www.facebook.com/garfield

WOUF! WOUF! WOUF! WOUF! WOUF! WOUF!

CE N'ÉTAIT PAS UNE QUESTION
© 2014 PAWS, INC. All Rights Reserved.

ZOO
INTERDIT
DE NOURRIR
LES ANIMAUX

PAS DE RAISON
D'ENTRER LÀ
JIM DAVIS 11-13

HÉ, LIZ! ALLÔ! SALUTATIONS! HOLÀ! COMMENT VAS-TU? ALOHA! QUOI DE NEUF? À PART ÇA?!

SI TU VEUX BIEN NOUS EXCUSER, NOUS ALLONS MONTER ET DESCENDRE L'ESCALIER 500 FOIS!

POUM! POUM! POUM! POUM! POUM! POUM! POUM! POUM! POUM! POUM!
À VOIR LA MOUSTACHE, JE DIRAIS TRIPLE CAFÉ LATTÉ
JIM DAVIS 11-14

JE ME MÉFIE
DE LA SALADE
JIM DAVIS 11-15

garfield.com
Garfield®

TROUVEZ-MOI LES GYMNASES DE MON QUARTIER
UN INSTANT

J'EN AI TROUVÉ TROIS. QUE SOUHAITEZ-VOUS FAIRE?

J'AIMERAIS M'ABONNER
VOUS?!

OUI, MOI! JE SUIS TRÈS SOUCIEUX DE MA SANTÉ!
OH, VRAIMENT?

VOUS AVEZ ENREGISTRÉ LES NUMÉROS DE 27 PIZZERIAS

MON TÉLÉPHONE INTELLIGENT EST PLUS FUTÉ QUE MOI
C'ÉTAIT PRÉVISIBLE
JIM DAVIS 11-16

LE CHAT
EST UNE
VERMINE
JIM DAVIS 11-17

JE VEUX QUE L'ON TROUVE CELUI QUI A ÉCRIT ÇA!
LE CHAT
EST UNE
VERMINE

TOUT DE SUITE, MONSIEUR
LE CHAT
EST UNE
VERMIN

L'EXTERMINATEUR? IL Y A UN RAT DANS MON SOUS-SOL

OUI, VOUS AVEZ TOUT À FAIT RAISON

JE DEVRAIS ME PROCURER UN CHAT
LES CHATS PERDENT LEURS POILS
JIM DAVIS 11-18

PEUT-ÊTRE QUE LE RAT DU SOUS-SOL VA FINIR PAR S'EN ALLER

IL FIXE DES PHOTOS AU MUR
JIM DAVIS 11-19

JE TE PRÉVIENS, LE RAT : JE VAIS DESCENDRE!
JIM DAVIS 11-20
Distributed by Universal Uclick www.facebook.com/garfield
CLIC
SLAP!
© 2014 PAWS, INC. All Rights Reserved.
JE DÉTESTE QUAND ILS ALLUMENT ET METTENT UN TAPIS DEVANT LA PORTE

LE RAT DU SOUS-SOL S'EN VA

Distributed by Universal Uclick www.facebook.com/garfield
ENFIN! JE SAVAIS QUE JE ME DÉBARRASSERAIS DE LUI!

© 2014 PAWS, INC. All Rights Reserved.
IL DIT QU'IL NE PEUT SUPPORTER UN CHAT PLEURNI-CHARD
CHACUN SES MÉTHODES
JIM DAVIS 11-21

DIFFICILE DE SUIVRE QUAND LE MONDE CHANGE SI VITE
TU AS RAISON
JIM DAVIS 11-22

Distributed by Universal Uclick www.facebook.com/garfield
TU DEVRAIS AGIR COMME MOI...

© 2014 PAWS, INC. All Rights Reserved.
ET FAIRE COMME SI RIEN N'ÉTAIT ARRIVÉ

garfield.com

Garfield®

www.facebook.com/garfield

REGARDE, GARFIELD, UNE ÉTOILE FILANTE!

SI TU FAIS UN VŒU EN VOYANT UNE ÉTOILE FILANTE, IL SE RÉALISERA

AS-TU FAIT UN VŒU?
Distributed by Universal Uclick

FLOMP
JIM DAVIS 11-23

OUI

JE SUIS LEVÉ!
Distributed by Universal Uclick www.facebook.com/garfield

ET CERTAINS DISAIENT QUE CE N'ÉTAIT PAS POSSIBLE!
© 2014 PAWS, INC. All Rights Reserved.
JIM DAVIS 11-24

ALLÔ? NON, IL N'Y A PAS DE PEGGY ICI
Distributed by Universal Uclick www.facebook.com/garfield

NON. IL N'Y A JAMAIS EU DE PEGGY ICI

NON, JE NE FERAI PAS SEMBLANT D'ÊTRE PEGGY!
J'ADORE LES FAUX NUMÉROS!
© 2014 PAWS, INC. All Rights Reserved.
JIM DAVIS 11-25

GARFIELD
Distributed by Universal Uclick www.facebook.com/garfield

BIEN, RIEN NE REMUE
GARFIELD

MES CRITÈRES SONT RIGOUREUX POUR CE QUI TOUCHE LA PÂTÉE POUR CHATS
GARFIELD
© 2014 PAWS, INC. All Rights Reserved.
JIM DAVIS 11-26

GARFIELD, JE VAIS PRÉPARER LA SOUPE DE GRAND-MÈRE

JE VAIS TENTER DE SUIVRE SA RECETTE

OÙ PUIS-JE TROUVER UN COYOTE?
ON PEUT LE REMPLACER PAR DU GÂTEAU AU CHOCOLAT
JIM DAVIS 11-27

C'EST LE MOMENT DE FAIRE UN RÉGIME

EN PLEIN AU MOMENT OÙ J'ATTEINS MON POIDS CIBLE!
JIM DAVIS 11-28

LES GÂTERIES POUR CHATS SONT UNE INVENTION PLUS IMPORTANTE QUE LA ROUE
GÂTERIES

WOUAH!...
GÂTERIES

UNE ROUE FAITE DE GÂTERIES POUR CHATS
GÂTERIES
JIM DAVIS 11-29

garfield.com
Garfield

SNIFF
SNIFF
SNIFF
SNIFF
SNIFF
SNIFF
SNIFF
SNIFF
www.facebook.com/garfield

SNORK!

CHOO!
SPLAT!

JIM DAVIS 11-30
Distributed by Universal Uclick

© 2014 PAWS, INC. All Rights Reserved.

WHAP
WHAP
WHAP
WHAP
WHAP
WHAP
WHAP
YAAAAAHH
C'EST TOUJOURS COMME ÇA

L'HIVER NOUS SEMBLE PARFOIS GRIS, TRISTE, SANS VIE, FROID ET IMPITOYABLE
JIM DAVIS 12-1
www.facebook.com/garfield
Distributed by Universal Uclick
PUIS NOËL ARRIVE
© 2014 PAWS, INC. All Rights Reserved.
ET JON ARRIVE AVEC LUI
À L'AIDE...

ALORS, C'EST TA LISTE DE CADEAUX?
www.facebook.com/garfield
Distributed by Universal Uclick

NON

© 2014 PAWS, INC. All Rights Reserved.
C'EST L'INDEX
JIM DAVIS 12-2

QUE VEUX-TU AVOIR À NOËL, ODIE? UN OS À LA VIANDE OU UN OS EN CAOUTCHOUC?
JIM DAVIS 12-3
www.facebook.com/garfield
Distributed by Universal Uclick

© 2014 PAWS, INC. All Rights Reserved.
ODIE?
JE PENSE QU'IL A FIGÉ

Distributed by Universal Uclick www.facebook.com/garfield
© 2014 PAWS, INC. All Rights Reserved.

Distributed by Universal Uclick www.facebook.com/garfield
© 2014 PAWS, INC. All Rights Reserved.

garfield.com
Garfield

Père Noël, J'ai été gentil toute l'année.
À preuve, les photos ci-jointes.

FLOC
FLOC

X
Distributed by Universal Uclick

C'EST DE LA
FRAUDE, TU SAIS...
LA FERME,
ET SOURIS
JIM DAVIS 12-7

LE PÈRE NOËL PEUT SAVOIR SI TU AS ÉTÉ GENTIL OU VILAIN

C'EST UN GROS LARD QUI NE FAIT RIEN 364 JOURS PAR ANNÉE

TU N'AS PAS ÉTÉ TRÈS GENTIL
QUI EST-IL POUR ME JUGER?!
JIM DAVIS 12-8

ON DIT QUE LES CALORIES DE NOËL NE COMPTENT PAS

JE DIS QUE CE PRINCIPE DEVRAIT VALOIR CHAQUE JOUR DE LA SEMAINE

COMMENT PEUX-TU MANGER AUTANT?
LES CALORIES DU MARDI NE COMPTENT PAS
JIM DAVIS 12-9

VOIS, GARFIELD, UN COUPE-BANANE! TU CROIS QUE LIZ AIMERAIT EN RECEVOIR UN À NOËL?

POURQUOI ME REGARDES-TU AINSI?
TU PRÉFÈRES QUE JE LÈVE LES YEUX AU CIEL?
JIM DAVIS 12-10

GARFIELD, QUE DIS-TU DE CECI POUR LIZ?...

UN ENSEMBLE CADEAU DE CRÈMES ANTIRIDES!

TU VIEILLIRAS DANS UNE SOLITUDE AMÈRE ET TRISTE
JIM DAVIS 12-1

EUF... JE NE SAIS JAMAIS QUOI OFFRIR À LIZ À NOËL, GARFIELD

Distributed by Universal Uclick www.facebook.com/garfield

FAISONS SEMBLANT QUE TU ES LIZ ET JE VAIS PROPOSER DES IDÉES DE CADEAUX
D'ACCORD

© 2014 PAWS, INC. All Rights Reserved.

UN KIT DE BLANCHIMENT DES DENTS!
JE PENSE QUE NOTRE COUPLE A ASSEZ DURÉ
JIM DAVIS 12-12

HO! HO! HO! JE PARIE QUE L'ARAIGNÉE DE NOËL SAIT CE QUE TU VEUX POUR CADEAU!

Distributed by Universal Uclick www.facebook.com/garfield

SCH WOP

© 2014 PAWS, INC. All Rights Reserved.

DES COURS DE GESTION DE LA COLÈRE!
JIM DAVIS 12-13

garfield.com

À : Toi

DE : Garfield®

DING!
www.facebook.com/garfield

ZIP

SMOOOOOOOCH
Distributed by Universal Uclick

© 2014 PAWS, INC. All Rights Reserved.

LA MINUTERIE DU FOUR NOUS PRÉVIENT QUE LES BISCUITS DE NOËL SONT PRÊTS
JIM DAVIS 12-14

QU'EST-CE QUE C'EST?
MA LISTE DE CADEAUX
Distributed by Universal Uclick www.facebook.com/garfield

PERSONNE NE FAIT DE BRIOCHES AU FROMAGE AUSSI GROSSES
ALORS, IL EST TEMPS QUE QUELQU'UN S'Y METTE!
© 2014 PAWS, INC. All Rights Reserved.
JIM DAVIS 12-15

LA TRADITION DES FÊTES NUMÉRO UN DE JON ARBUCKLE...
Distributed by Universal Uclick www.facebook.com/garfield

AAAAGGHHH!

CHAAAAQUE ANNÉE
© 2014 PAWS, INC. All Rights Reserved.
JIM DAVIS 12-16

LA TRADITION DES FÊTES NUMÉRO DEUX DE JON ARBUCKLE...
VLAN!
Distributed by Universal Uclick www.facebook.com/garfield

ENTONNER DES CHANTS DE NOËL
© 2014 PAWS, INC. All Rights Reserved.
JIM DAVIS 12-17

NOUS RETOURNONS À « ZOULOU, LE CHAT QUI N'A PAS SAUVÉ NOËL »
ZOULOU, CESSE DE GRIFFER LE LIT D'EAU!
OH, NON! LES CADEAUX SONT TOUS TREMPÉS!
BIEN JOUÉ, ZOULOU! À PRÉSENT, VA TAPER LES BOULES DU SAPIN!

LIZ, JE NE SAIS PAS QUOI T'OFFRIR À NOËL

OH, JON. TU ES TOUT CE QUE JE DÉSIRE À NOËL

ELLE POURRAIT T'ÉCHANGER POUR QUELQUE CHOSE D'UTILE

LE TEMPS DES FÊTES EST LE MOMENT DE CÉLÉBRER LA PAIX ET L'AMOUR...

QUE DIRAIS-TU D'UN CÂLIN, BOULE DE GRAISSE?

COMMENT S'EST TERMINÉE CETTE HISTOIRE DE CÂLIN, LULU?
CONTENTE-TOI DE FAIRE TINTER TON GRELOT, CARLA

garfield.com
garfield

DÉCORATION DU SAPIN, C'EST FAIT
www.facebook.com/garfield

GUIRLANDES DE LAMPIONS, C'EST FAIT

EMBALLAGE DES CADEAUX, C'EST FAIT
Distributed by Universal Uclick

PENDAISON DES BAS À LA CHEMINÉE, C'EST FAIT

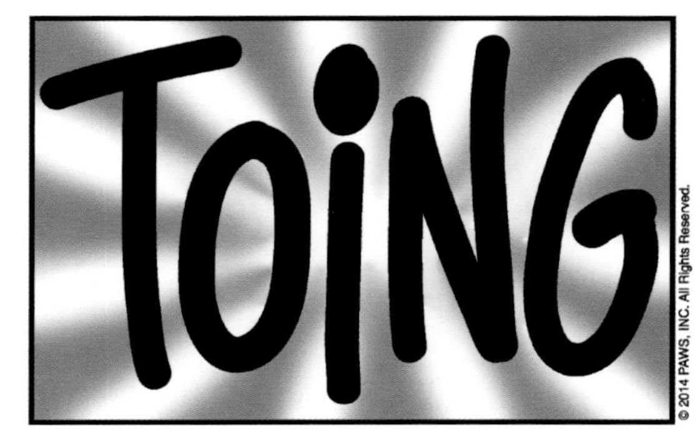
TOING

ESSAI DU PIÈGE À PÈRE NOËL, C'EST FAIT
JIM DAVIS 12-21

GARFIELD!

HÉ, ELLES AVAIENT BESOIN D'UN HAUTE-CONTRE
JIM DAVIS 12-22

BONJOUR, PIZZA PAPA NOËL? JE VEUX UNE PIZZA GRAND FORMAT AU PEPPERONI
POURQUOI CE NOM DE PIZZA PAPA NOËL?

WHUMP!
AH!
JIM DAVIS 12-23

LES ÉTRENNES, LES BISCUITS, LE LAIT DE POULE...
JIM DAVIS 12-24

Y A-T-IL UNE CHOSE QUE JE N'AIME PAS DE NOËL?

SMAAAAAAAC AAAAAAAAACH

Distributed by Universal Uclick www.facebook.com/garfield

© 2014 PAWS, INC. All Rights Reserved.

Distributed by Universal Uclick www.facebook.com/garfield

© 2014 PAWS, INC. All Rights Reserved.

garfield.com
GARFIELD

LIZ, QU'AS-TU ENVIE DE FAIRE LE SOIR DE LA SAINT-SYLVESTRE? ALLER DÎNER ET DANSER?
www.facebook.com/garfield

JE PENSE QUE JE SERAIS HEUREUSE DE COMMANDER DE LA PIZZA ET DE RESTER ICI AVEC TOI, GARFIELD ET ODIE

TU EN ES SÛRE? NOUS POURRIONS METTRE LES ANIMAUX EN PENSION ET...

WHOP!
Distributed by Universal Uclick

© 2014 PAWS, INC. All Rights Reserved.

QU'EST-CE QUE JE DISAIS?
OH, RIEN D'IMPORTANT
JIM DAVIS 12-28

À NOËL, J'AI OFFERT UN TAPIS DE COURSE À MA FEMME
JOLI CADEAU
POURQUOI ES-TU DEHORS DANS LA NEIGE?
À NOËL, J'AI OFFERT UN TAPIS DE COURSE À MA FEMME
Distributed by Universal Uclick
www.facebook.com/garfield
JIM DAVIS 12-29
© 2014 PAWS, INC. All Rights Reserved.

2009 A ÉTÉ UNE TRÈS LONGUE ANNÉE
DÉCEMBRE
Distributed by Universal Uclick
www.facebook.com/garfield

DÉCEMBRE

© 2014 PAWS, INC. All Rights Reserved.
NOUS DEVONS ACHETER UN NOUVEAU CALENDRIER
DÉCEMBRE
JIM DAVIS 12-30

POUR MA PART, J'AI DÉCIDÉ D'ÊTRE MOINS MALADROIT
Distributed by Universal Uclick
www.facebook.com/garfield

© 2014 PAWS, INC. All Rights Reserved.
BADABOUM
DIFFICILE DE TENIR SES RÉSOLUTIONS
JIM DAVIS 12-31

J'AI PRIS LA RÉSOLUTION D'ÊTRE PLUS SENSIBLE À CE QU'ÉPROUVE AUTRUI

PROUF

J'AI MAL!
JE RESSENS TA DOULEUR
JIM DAVIS 1-1

J'AI PRIS LA RÉSOLUTION DE RENONCER À FAIRE LES POUBELLES
JIM DAVIS 1-2

FINIS-TU CE BEIGNET?

MA RÉSOLUTION DU NOUVEL AN EST DE PERDRE DU POIDS

TOI? PERDRE DU POIDS?!
OUAIS...

JE PRENDS DU VENTRE COMME UNE MOUCHE
JIM DAVIS 1-3

garfield.com
GARFIELD

HÉ, LES GARS, ÉCOUTEZ BIEN...
www.facebook.com/garfield

BURRP!

BUUURRRP!

BUUUUUUUUUUUUU
JIM DAVIS 1-4
Distributed by Universal Uclick

UUUUUUUUURRRRRR

C'EST LUI, LE ROI DU ROT
WOUF
RRRRRRRP

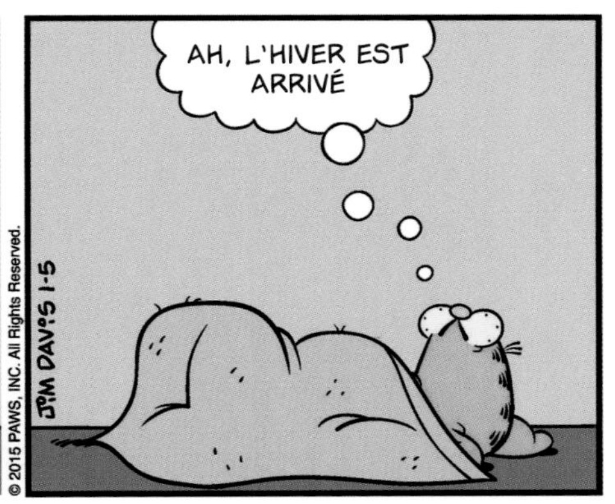
AH, L'HIVER EST ARRIVÉ
JIM DAVIS 1-5

TU SAIS DE QUOI LE MONDE A BESOIN EN PLUS GRANDE DOSE?

MOI!

D'AMOUR!
LE MONDE QUI M'AIME, MOI!
JIM DAVIS 1-6

ON NE SAIT JAMAIS CE QUI NOUS ATTEND AU PROCHAIN TOURNANT

VAS-Y. J'ATTENDRAI ICI
JIM DAVIS 1-7

CROYEZ-VOUS QU'ON PUISSE VOYAGER DANS LE TEMPS?

OBSERVEZ-MOI...
Distributed by Universal Uclick www.facebook.com/garfield

QUAND JE ME LÈVERAI, CE SERA VENDREDI
© 2015 PAWS, INC. All Rights Reserved.
JIM DAVIS 1-8

LIZ, CETTE NUIT, J'AI RÊVÉ DE TOI
C'EST ADORABLE

J'AI ÉGALEMENT RÊVÉ DE GODZILLA
C'ÉTAIT UN RÊVE DIFFÉRENT, J'ESPÈRE
Distributed by Universal Uclick www.facebook.com/garfield

DANS CE CAS, DISONS QUE CE L'ÉTAIT
JE FERAIS MIEUX DE SORTIR EN DOUCE
© 2015 PAWS, INC. All Rights Reserved.
JIM DAVIS 1-9

LE PREMIER FLOCON DE L'ANNÉE. JE ME DEMANDE QUEL HIVER NOUS AURONS
JIM DAVIS 1-10

BLOP!
Distributed by Universal Uclick www.facebook.com/garfield

PROBABLEMENT RIGOUREUX
© 2015 PAWS, INC. All Rights Reserved.

garfield.com
Garfield®

HAN!
www.facebook.com/garfield

FLOP!

HO HISSE!
Distributed by Universal Uclick

© 2015 PAWS, INC. All Rights Reserved.
JIM DAVIS 1-11

Distributed by Universal Uclick www.facebook.com/garfield
© 2015 PAWS, INC. All Rights Reserved.

Distributed by Universal Uclick www.facebook.com/garfield
© 2015 PAWS, INC. All Rights Reserved.

MON PÈRE EST UNE BOULE DE QUILLES
VRAIMENT?

OUAIS

IL TROUVE QUE JE SUIS MOU
BA-DA-CHING!
JIM DAVIS 1-15

JE NE TROUVE PAS MON PANTALON

OÙ PEUT-IL SE TROUVER?

PROBABLEMENT QU'IL SE CACHE
JIM DAVIS 1-16

C'EST UNE RUDE VIE QUE LA TIENNE

IL ME FAUDRAIT UN OREILLER
JIM DAVIS 1-17

garfield.com

Garfield®

JON!

TE VOICI!

ICI

PLUTÔT QU'AILLEURS

DISONS, LÀ-BAS

FLÛTE! DIFFICILE DE FAIRE NAÎTRE L'ENTHOUSIASME DANS CETTE MAISON!
JIM DAVIS 1-18

JIM DAVIS 1-19
GARFIELD

Distributed by Universal Uclick www.facebook.com/garfield
GARFIELD

© 2015 PAWS, INC. All Rights Reserved.
EN APPÉTIT
ALLÉLUIA
GARFIELD

JIM DAVIS 1-20
VEUX-TU COURIR APRÈS MOI?

Distributed by Universal Uclick www.facebook.com/garfield
NON?

© 2015 PAWS, INC. All Rights Reserved.
IL NE VEUT PAS
IL PRÉFÈRE QUE LE CHAT FASSE SEUL TOUT LE TRAVAIL

ÇA, PAR EXEMPLE...
GARE AU CHÊNE

Distributed by Universal Uclick www.facebook.com/garfield
COMME C'EST TRISTE DE CONSTATER QU'ON NE SAIT PLUS ÉCRIRE UN SIMPLE MOT COMME...

© 2015 PAWS, INC. All Rights Reserved.
JIM DAVIS 1-21

GARFIELD, J'ÉTAIS TRÈS ENGAGÉ EN ATHLÉTISME

ÉTUDIANT, J'ÉTAIS L'ENTRAÎNEUR...

DE L'ÉQUIPE DE JOUEURS D'ÉCHECS
IL ÉPONGEAIT LEURS SOURCILS

MIAM MIAM MIAM

Distributed by Universal Uclick www.facebook.com/garfield

MIAM MIAM MIAM MIAM

© 2015 PAWS, INC. All Rights Reserved.

VAS-TU M'OFFRIR DU MAÏS ÉCLATÉ?
L'HEURE DE LA RUPTURE A SONNÉ

TE SOUVIENS-TU DE CE MOMENT, HIER...

Distributed by Universal Uclick www.facebook.com/garfield

OÙ J'AI PRESQUE MANGÉ UN BEIGNET?!

© 2015 PAWS, INC. All Rights Reserved.

EST-CE QUE CE SERAIT, PAR HASARD, AU MOMENT OÙ MOI J'AI MANGÉ UN BEIGNET?

garfield.com
garfield

PA
PAI
PAIN
PAI
www.facebook.com/garfield

SQUASH
Distributed by Universal Uclick

SQUASH
SQUISH
SQUISH
QUASH
SQUISH
SQUISH
SQUASH
SQU
SQUI

© 2015 PAWS, INC. All Rights Reserved

GAH!
LA DATE DE PÉREMPTION
DU BEURRE EST FIXÉE
À MINUIT CE SOIR
BEURRE
KACHUNK
JIM DAVIS 1-25

ON DIT QUE...

CHAQUE CHOSE A UNE RAISON D'ÊTRE

POURQUOI ME SUIS-JE ÉVEILLÉ?
JIM DAVIS 1-26

J'AI DES PATINS À ROULETTES!
J'AI DES GRIFFES!
JIM DAVIS 1-27

ODIE, FAISONS UN BONHOMME DE NEIGE
JIM DAVIS 1-28

HUM... IL Y A PEU DE NEIGE...

ONCLE ROGATIEN ÉTAIT UN HOMME SAGE
GARFIELD

IL DISAIT : « IL FAUT ACCEPTER LES AUTRES AVEC LEURS DÉFAUTS ET LEURS VERRUES »
GARFIELD

IL EN AVAIT UNE GIGANTESQUE...
PLUS UN MOT!
GARFIELD
JIM DAVIS 1-29

LA FRÉNÉSIE FÉLINE!

JIM DAVIS 1-30

ATTRAPE-LA!

LIZ, JE SUIS MALADE
JIM DAVIS 1-31

POURRAIS-TU VENIR ME FRICTIONNER LES ÉPAULES EN DISANT « PAUVRE PETIT »?

ÉTAIT-CE UN GLOUSSEMENT?
LE RIRE EST LE MEILLEUR REMÈDE

garfield.com
GARFIELD

FIOU
EUF
HAH HAH
www.facebook.com/garfield

FIOU
EUF
HAH HAH

FIOU
EUF
HAH HAH

FIOU
EUF
HAH HAH
Distributed by Universal Uclick

J'EN AI ASSEZ DE VOUS ENTENDRE SOUPIRER ET HALETER!
AU MOINS, NOS NARINES NE SIFFLENT PAS!
WOUF!!
© 2015 PAWS, INC. All Rights Reserved.

LE COMBAT CONTRE L'ENNUI TOURNE AU PIRE
HAH HAH
FIOU
JIM DAVIS 2-1

SOURIS, GARFIELD

VOILÀ QUI EST MIEUX!

ET QUOI, À PRÉSENT?
JIM DAVIS 2-2

GARFIELD, JE PASSE UN TEST

« QUEL EST VOTRE DEGRÉ DE MATURITÉ? »

OÙ SONT MES CRAIES DE COULEUR?
TU VIENS DE PERDRE AUTOMATI-QUEMENT DIX POINTS
JIM DAVIS 2-3

AU SUIVANT!
JIM DAVIS 2-4

WOUF!

CET AVERTISSEMENT ME FAIT GAGNER UN TEMPS FOU

TU SAIS, JON, GARFIELD EST PRATIQUEMENT COMME TON ENFANT

NOURRIS-MOI, PAPA!

TU NE DEVRAIS PAS LUI SUGGÉRER CE GENRE D'IDÉES
OUAH!
JIM DAVIS 2-5

POUR CE PREMIER TOUR...

JE VAIS FAIRE L'IMPOSSIBLE

CE CHAT RAPPORTERA LA BALLE
C'EST UNE MARION-NETTE!

J'AI LE MORAL À ZÉRO

ESSAIES-TU D'AGGRAVER MON ÉTAT?!

garfield.com
Garfield

ZUT... JE SUIS ASSIS ICI DEPUIS SI LONGTEMPS, JE SUIS GELÉ À LA CLÔTURE
www.facebook.com/garfield

GARFIELD, QUE FAIS-TU DEHORS À CETTE HEURE?
JE SUIS GELÉ À LA CLÔTURE

TU NE DEVRAIS PAS RESTER LÀ, AU FROID
JE SUIS GELÉ À LA CLÔTURE

POURQUOI NE PAS RENTRER? JE VAIS PRÉPARER DU CHOCOLAT CHAUD
JE SUIS GELÉ À...
Distributed by Universal Uclick

DU CHOCOLAT CHAUD?
© 2015 PAWS, INC. All Rights Reserved.

JIM DAVIS 2-8

LES RÊVES DEVIENNENT PARFOIS RÉALITÉ
JIM DAVIS 2-9

TON RÊVE D'AVANCER SANS BUT EN TRÉBUCHANT AU FIL D'UNE EXISTENCE VAINE?

UN HOMME DOIT PARFOIS PRENDRE DES DÉCISIONS DIFFICILES

JE ME DEMANDE COMMENT C'EST
D'ÊTRE UN HOMME?
JIM DAVIS 2-10

CE REGARD FIXE NE M'INTIMIDE PAS

ET À PRÉSENT?
JE CONCÈDE QUE C'EST PLUS EFFRAYANT
JIM DAVIS 2-11

ODIE N'A AUCUNE IDÉE DE CE QUI SE PASSE

QU'EST-CE QUI SE PASSE?

QUE CETTE NEIGE EST JOLIE! ON DIRAIT DU SUCRE EN POUDRE QUI TOMBE SUR DU PAIN DORÉ

JE SUIS PRÊT POUR L'HIVER

JE VAIS ME REPOUDRER LE NEZ

TU NE VAS PAS FILER EN DOUCE, N'EST-CE PAS?
POURQUOI JE FERAIS CELA?

MA COPINE VA REVENIR
ENCORE DE L'EAU, ROMÉO?

garfield.com
GARFIELD®

© 2015 PAWS, INC. All Rights Reserved.

www.facebook.com/garfield
BISC

Distributed by Universal Uclick
JIM DAVIS 2-15

OUAH!
IL FAUT VRAIMENT QUE ÇA CESSE
TU RÉPRIMES MA CRÉATIVITÉ

TU SEMBLES T'ENNUYER
Distributed by Universal Uclick www.facebook.com/garfield

JE NE M'ENNUIE PAS...

J'AI UNE IMAGE À PRÉSERVER
© 2015 PAWS, INC. All Rights Reserved.
JIM DAVIS 2-16

BONSOIR, MESDAMES ET MESSIEURS! COMMENT ALLEZ-VOUS?
JIM DAVIS 2-17
Distributed by Universal Uclick www.facebook.com/garfield

BOF, LES CHOSES POURRAIENT ALLER MIEUX
J'AI UN TORTICOLIS
MOI AUSSI
SANS BLAGUE?
J'AI PASSÉ LA NUIT COUCHÉE EN BOULE SUR LE SOFA
JE SAIS DE QUOI TU PARLES. T'AS MIS DU LINIMENT?
J'AI VU UN CHIRO...
© 2015 PAWS, INC. All Rights Reserved.

C'ÉTAIT UNE QUESTION RHÉTORIQUE!
BONNE QUESTION!
TU PARLES!
POSES-EN UNE AUTRE!

EUF!
JIM DAVIS 2-18
Distributed by Universal Uclick www.facebook.com/garfield

EUF!
© 2015 PAWS, INC. All Rights Reserved.

RIEN À FAIRE?
C'EST FAIT

JE ME SUIS FROISSÉ UN MUSCLE, CE MATIN
Distributed by Universal Uclick
www.facebook.com/garfield

SAPRISTI!

TU AS UN MUSCLE?!
© 2015 PAWS, INC. All Rights Reserved.
JIM DAVIS 2-19

JE VAIS AGIR COMME UN GAILLARD RUDE ET VIRIL
EN FAISANT QUOI?
JIM DAVIS 2-20
Distributed by Universal Uclick
www.facebook.com/garfield

TONDRE LA PELOUSE SANS CHEMISE

JE SUIS COINCÉ
VOICI L'OCCASION DE PRENDRE TES JAMBES À TON COU
© 2015 PAWS, INC. All Rights Reserved.

TE SERAIT-IL POSSIBLE DE FAIRE PREUVE D'ENCORE PLUS DE PARESSE?
Distributed by Universal Uclick
www.facebook.com/garfield

CE SERAIT POSSIBLE...

MAIS TU DEVRAIS LE FAIRE À MA PLACE
© 2015 PAWS, INC. All Rights Reserved.
JIM DAVIS 2-21

garfield.com

Garfield®

LES PETITS...

NE DEVENEZ JAMAIS COMME LUI

C'ÉTAIT UNE INSULTE?
NON. C'ÉTAIT UN MESSAGE D'INTÉRÊT PUBLIC
JIM DAVIS 2-23

JE VAIS FAIRE UN RÉGIME
JIM DAVIS 2-24

JE N'AI PAS DIT « RÉGIME MINCEUR »!

UN CHAT PEUT LIRE DANS LES PENSÉES

À CONDITION QUE VOUS EN AYEZ
JIM DAVIS 2-25

POISSONS
FRAIS

TU AS L'ODEUR DE QUELQU'UN QUI A PLONGÉ DANS UNE BENNE À ORDURES DERRIÈRE UNE POISSONNERIE
JALOUSE...
JIM DAVIS 2-26

LORSQUE JE SUIS D'HUMEUR JOYEUSE, TOUT PEUT ARRIVER!

OU PAS!
JIM DAVIS 2-27

Z

LE JOUR EST À DEMI ÉCOULÉ!

COMME MA SIESTE!
JIM DAVIS 2-28

garfield.com

GARFIELD®

www.facebook.com/garfield

Distributed by Universal Uclick

AUJOURD'HUI, RIEN NI PERSONNE NE VA M'EMBÊTER
JIM DAVIS 3-2

C'EST BON : DEMAIN, RIEN NI PERSONNE NE VA M'EMBÊTER

JIM DAVIS 3-3
GARE AU CHIEN INVISIBLE

QUI CROIT-ON BERNER AVEC ET ÉCRITEAU?

BOING!

GAZETTE DES CHATS

WOUAH!
GAZETTE DES CHATS

IL Y A PLEIN DE CHOSES QUI N'ARRIVENT PAS
GAZETTE DES CHATS
JIM DAVIS 3-4

J'AIME CROIRE QUE JE SUIS FUTÉ

J'AIME CROIRE QUE JE SUIS FUTÉ

J'AIME CROIRE QUE JE SUIS MINCE
JIM DAVIS 3-5

FAISONS QUELQUE CHOSE DE PALPITANT!

TU POURRAIS TENTER DE DONNER UN BAIN À GARFIELD

TU POURRAIS T'Y RISQUER
PEUT-ÊTRE PAS D'AUSSI PALPITANT
JIM DAVIS 3-6

JE NE CRAINS PAS LE JOURNAL ENROULÉ DU CHAT!
JIM DAVIS 3-7

PASSONS À L'ATTAQUE!

JE DIS : IL A UN BOTTIN TÉLÉPHONIQUE
JE DIS : REGROUPONS-NOUS!

garfield.com
GARFIELD

www.facebook.com/garfield

Distributed by Universal Uclick

BOUAAAAH
JIM DAVIS 3-8

EUF!

EUF

POURQUOI DOIS-TU TOUJOURS ME SUPPLANTER?
PARCE QUE JE PEUX
JIM DAVIS 3-9

JE POURRAIS GRIMPER À CET ARBRE

MAIS ALORS JE FINIRAIS PAR EN TOMBER

AUTANT PASSER TOUT DE SUITE À LA CONCLUSION
JIM DAVIS 3-10

VA-T'EN, ODIE. TU M'EMBÊTES

J'IMAGINE QUE JE L'AI BIEN CHERCHÉ...
JIM DAVIS 3-11

MAMAN, JE DOIS TE LAISSER
JIM DAVIS 3-12

JE DOIS VRAIMENT TE LAISSER...

C'EST BON. JE VAIS PARLER À LA VACHE
JON, TU SAIS QUE LA VACHE FAIT DE LONGS DISCOURS

QUE FERAIS-JE SI LIZ ME LAISSAIT TOMBER?

HUM...

JE PARIE QUE TU BRAILLERAIS COMME UN VEAU
JIM DAVIS 3-13

QU'EST-CE QUI VAUT MIEUX QU'ÊTRE UN CHAT?

ÊTRE UN CHAT AVEC UNE GLACE À LA FRAISE!
JIM DAVIS 3-14

garfield.com
Garfield

CE SOIR, JE CUISINE POUR LIZ!
C'EST TA FAÇON DE ROMPRE AVEC ELLE?
www.facebook.com/garfield

LEVURE CHIMIQUE... C'EST PRATIQUEMENT DU BICARBONATE DE SOUDE, PAS VRAI?
SI TU LE DIS

HEU, LE BEURRE EST CROQUANT. C'EST NORMAL?
DANS UNE BANDE DESSINÉE, OUI

JE ME DEMANDE S'IL FALLAIT AJOUTER LES ŒUFS AVANT D'ENFOURNER
LE FOUR A-T-IL UN BOUTON ANNULER?
JIM DAVIS 3-15
Distributed by Universal Uclick

VITE, OÙ SE TROUVE L'EXTINCTEUR?
LÀ OÙ TU L'AS MIS LA DERNIÈRE FOIS QUE TU AS CUISINÉ
© 2015 PAWS, INC. All Rights Reserved.

JE SUIS NAVRÉ
JON EST ASSEZ INTELLIGENT POUR ÊTRE DÉÇU DE LUI-MÊME, MAIS TROP BOUCHÉ POUR RÉUSSIR QUOI QUE CE SOIT

BONNE NUIT, GARFIELD!
BONNE NUIT, JON!
JIM DAVIS 3-16

JE VAIS TENTER, SANS RÉUSSIR, DE TE RÉVEILLER DEMAIN MATIN
ET JE VAIS TENTER, EN RÉUSSISSANT, DE FAIRE LA GRASSE MATINÉE

VIVE LA ROUTINE

NE VOUS MÉFIEZ PAS DU CHIEN
JIM DAVIS 3-17

SOYONS COPAINS

FLATTEZ MON VENTRE

JE SUIS GÉNIAL. JE SUIS GÉNIAL. JE SUIS GÉNIAL

JE SUIS LE MEILLEUR. JE SUIS LE MEILLEUR. JE SUIS LE MEILLEUR.

MA CHANSON THÈME
JIM DAVIS 3-18

Distributed by Universal Uclick www.facebook.com/garfield
© 2015 PAWS, INC. All Rights Reserved.

Distributed by Universal Uclick www.facebook.com/garfield
© 2015 PAWS, INC. All Rights Reserved.